AF557071

Sport macht Spaß.

Elli spielt Fußball.

Linus spielt Tennis.

Die Kinder machen Yoga.

Leyla klettert.

Greta macht Eiskunstlauf.

Aron übt Karate.

Dora macht Ballett.

Tim turnt.

Nele schwimmt.

Lorenz segelt.

Alina reitet.

Leo und Kim fahren Rad.

Kian macht Leichtathletik.

Die Kinder spielen Basketball.

Sport macht Spaß.